KB096661

갈색 작곡가

발 행 | 2024년 3월 25일
저 자 | 김형인
펴낸이 | 한건희
펴낸곳 | 주식회사 부크크
출판사등록 | 2014.07.15.(제2014-16호)
주 소 | 서울시 금천구 가산디지털1로 119 SK트윈타워 A동 305호
전 화 | 1670-8316
이메일 | info@bookk.co.kr
출판대행 | 공간 나다움(cloudrain95@naver.com)

가격은 뒷표지에 있습니다.
ISBN | 979-11-410-7635-1

김형인 동시집

갈색 작곡가

차례

가을노래

제 1 부. 공부방 신발

제 2 부. 빈 과자 봉지

제 3 부. 보랏빛 웃음

제 4 부. 호야, 햇살 속으로

제 5 부. 사슴뿔 나무

가을 노래

책장 넘기는 손끝마다
어린이 웃음꽃 피어나고,
어른 마음에도
봄바람 스며들어요

우리 함께 여행해요,
갈색 작곡가의 세계로,
도토리가 숲의 비밀 속삭이는 곳,
이파리들이 춤추는 곳

어린이여,
상상의 나래 펼쳐
별빛 아래 꿈꾸는 모험 시작해요

어른이여,

잊었던 동심의 문 열고

다시 한번

순수한 기쁨을 맛봐요.

우리 모두의 이야기,

너와 나, 우리 모두

주인공인 동시들

함께 웃고, 함께 꿈꾸며,

서로의 마음

더 가까이 느낄 수 있는 시간 가져요

갈색 작곡가와 함께하는 여정에
어린이도, 어른도, 모두 함께 손잡고
마법 같은 이야기 속으로,
힘차게 뛰어들어 봐요

숲속 작은 비밀,
바람이 전하는 이야기,
갈색 도토리가 숨겨둔 꿈조각들
모두 이 안에 담겨 있어요,
오롯이 우리 마음 닮은 이야기들

나무와 꽃, 별과 구름이
함께 어우러져
마음속에 작은 울림 만들어요.
이 소중한 순간들 함께 나누며,
우리 큰 이야기 안에서 만나요

어린이여,

꿈꾸는 마음으로 세상 보아요.

어른들이여,

잃어버린 꿈 다시 찾아봐요.

갈색 작곡가가

우리에게 건네는,

사랑과 꿈, 희망의 멜로디에

귀기울여 봐요.

2024년 봄. 金星 김형인

시인의 말

제 1 부. 공부방 신발

해바라기 등대

파란 철담장 따라 놓여있는

커다란 화분들 위로

큰 얼굴 쏘옥 내밀었다

큰 키로 서서

햇님만 바라보듯

담장 안을 내려다 보고

한낮에 뜨거운 햇빛 받아

밤이면 등대되어

황금빛 에너지

고물상 마당 안을 환하게 비춘다.

낮에 뜨는 달

황금알 같은 달님이

나뭇가지 위로

미소를 머금고 탐스럽게 솟아오른다

꼭 간직 하고 싶은 달님 속 이야기

내 마음 주머니 속에

가득 담아

별들에게 들려줄까

낮에 뜨는 동그란 이야기를.

알밤

트럭 위,

알밤 깎는 기계 소리

토르륵 토르륵

한 알의 밤이 꿈꾼다

이가 약한 할아버지,

할머니 사랑 얻고자

돌고 돌아

우윳빛 새 옷으로 갈아입는다

밤 까기 싫어

밤 멀리하는 이들에게

사랑 받고 싶어

겉옷 탈탈 털고

약밥 속으로

대추와 함께 스며들기

마침내

잡곡밥에 둘러앉아

우아하게 자리잡기.

공부방 신발

공부방 현관 앞에 가지런히 놓여 있는
장난꾸러기
쉬는 시간 맞아 숨 내쉰다

비가 올 땐 빗물에 젖고
뙤약볕에선 그늘이 되어 주고
돌부리에 발을 보호해 주는
빨강, 파랑, 노랑 신발들

아이들 마음처럼 색깔도 여러 가지

공부 시간 늦을까 봐
헐레벌떡 달려와
실바람과 함께 숨쉬기 놀이한다.

갈색 작곡가

도토리 이파리 사이로

갈색 윤기나는 알맹이들 주렁주렁

껍질깨고 동글동글

어디로 뛰어내릴까 망설이다가

길쭉한 도토리 하나

큰 나무 뒤로 톡 톡

통통한 알맹이는

토토리 줍는 할아버지 몰래

낙엽 속으로 타닥타닥

지각생 동글이는

경사진 언덕배기를 따라

떼구르르~통 통

가을 소리 들려 준다.

은행나무 우체통

은행나무 가로수 아래

파란 망사가 빙~ 둘러쳐있다

인도에 서 있는 그늘막이

바람에 뒤집혀 있는듯

샛노랗게 물든 은행잎이

한 잎 두 잎 떨어져

그물망 속으로 스르르 미끄럼탄다

부채잎이 다 떨어질 때까지

날마다 키가 크는 노란단풍

우체통

분수

일곱 빛깔 무지개가 떴다
햇살과 물이 만드는 빛깔

한쪽 물줄기 쭉쭉 위로 뿜어 올릴때
반대편 물줄기 아래로
폭포처럼 내리꽂히고

양쪽에 줄잡은 동무들이
계곡물 소리처럼
휙휙 돌려대는

홀딱홀딱 뜀질에
빨개진 홍당무 얼굴
무지갯빛 깔깔 웃음.

역사 속의 음표들

남광주 지하철역,

누구나 연주할 수 있는 피아노

모자 쓴 할아버지가

큰 악보를 펼치고

아픈 할머니 생각하며

손가락을 움직여요

긴 머리 누나도

핸드폰에 띄운 악보를 보며

피아노를 연주해요

오고가는 사람들

발걸음도 가볍게

지하철 안에 울려 퍼지는

딩동댕 피아노 소리

넓은 지하철 안,

혼자 자리하고 있는 피아노

찾아오는 사람들 덕분에

외롭지않아요.

반짝임의 향연

쉭쉭 김을 뿜으며

열탕소독을 위해 줄 선 그릇들

기찻길처럼 긴

뜨거운 식기세척기를 지나며

뿌드득 뿌드득

음식들이 담겼던

하얀 접시들과 국그릇들

뜨끈뜨끈하게 소독되어

식탁 위에 반짝반짝

단체급식 아이들의 얼굴에

밝은 미소

한 움큼 선물한다.

나팔꽃

보아도 보이지 않던 나팔꽃!

나팔꽃에 이파리만 있는줄 알았는데

꽃잎 아래 자줏빛 꽃속에

수술도 있고

햇빛도 바람도 살며시 스며있다

스르르 줄기를 타고

위로위로 뻗어가는 어여쁜 나팔꽃!

꽃씨를 사다 화분에 심었더니

얼마나 큰지

햇빛을 따라 자라나는 나팔꽃 옆에서

키재기를 한다.

석류 나무에 올라

집 마당 한가운데,

우뚝 솟은 석류나무에

빨간 보석들이

매달렸어요

동생들이랑 의자 놓고

석류나무 위로 올라

그 보물을 따려 했어요

큰 거 하나 꼭 쥐고

따려는 순간,

의자가 넘어져

엉덩방아를 찧었어요

의자를 다시 세우고

올라서서

이번엔 신중히

손에 닿은

꼭꼭 숨겨진 새콤한 비밀,

마침내 손안에 들어왔어요

동생들의 환호 소리,

석류 씨앗처럼

마구 터져 나왔어요.

부레옥잠

호수 위

둥근 놀이터 안에 누워

물결타고 춤 춘다

친구들과 사이좋게

보랏빛 꽃잎에 촛불 그리며

누가 가장 잘하나 사생대회 열렸다

돌확 안에서

풍선처럼 둥근 공을 띄워

물 위에 날개처럼 꽃을 피우고

개구리밥과 맑은 물 만들기 놀이한다.

장기 자랑

벽에 걸린 큰 거울 앞으로

가까이 다가가

온몸 흔들며 춤추기 시작한다

룰루 룰루르

엄지와 중지 딱딱 부딪히며

박자를 맞추고

벙글벙글 웃으며 노래 부른다

가을 소풍 때 선 보일

춤 연습

거울 속에 오빠의

설레는 마음이 가득 담겨 있다.

민들레 홀씨

왕벚나무 꽃 보러 가는 길에

친구가 꺾어준

민들레 홀씨 한 송이

노란 꽃잎이 부풀어 놓은

솜사탕 같은

동그란 하얀 꽃

꿈 찾아 날아갈 준비를 하고 있다

'후~욱, 후~욱'

멀리멀리 가라고 힘차게

불어주며

빵 터진 웃음소리

씨앗 속에 가득 담고

바람 따라 동글동글 날아 오른다.

제2부. 빈 과자 봉지

민들레 꽃 한송이

공원 오르막길 모서리 틈새에서

꿋꿋하게 자리잡은

한 송이 민들레를 만났어요

지난 봄, 그곳에서 빗물을 머금고

홀로 환하게 웃으며 피었던

그 민들레

들쭉날쭉한 톱니 모양의 푸른 잎을

길게 뻗어 자리를 넓히는

민들레 꽃

노란 꽃봉오리 내밀려

친구가 되어줄 것처럼 속삭이다가

봄바람에 실려

둥실둥실 춤추며 여행갔어요.

굴뚝 빗자루

청소부 아저씨 등에 업혀진
커다란 기계

굴뚝처럼 생긴 통을
도로 바닥에 대면
빗자루로 변신해
낙엽과 먼지를 쓸어낸다

위에서 아래로 모으고 또 모으고
빗자루의 바람은 힘도 세
공원을 가득 메우는
신기한 통 빗자루의 소리

윙 윙~

산뜻해진 공원 길을

큰 소리 외치며 청소한다。

호수 위 춤추는 청소기

물 위에 둥둥, 보글보글

물방울을 뿜어내는

호수 위의 로봇

행사가 끝나고 물이 빠진 바닥에

잠시 누워 있다가

다시 일어나 멋진 자태로

깨끗하게 청소를 시작한다

우~웅,

찰랑거리는 풍암호 위에서

쉬지않고 반짝반짝

호수를 빛나게 하는 작은 잠수함.

소원을 담은 돌탑

어떤 소원을 빌었을까?

돌 하나 하나에

마음의 정성을 가득 담아

작은 돌들이 한 개씩 모아져

탑이 만들어졌다

발에 무심히 밟히는 돌들인데

탑으로 쌓여 귀히 여겨주는 돌들이구나

비바람에도 그 모습 의연하다.

빈 과자 봉지

엄마가 사 준 과자 두 봉지,

친구들과 나누다 보니 빈 봉지다

집으로 돌아오는 길,

참고 있던 울음 터뜨리며

"과자 사주세요!

친구들에게 다 줬어요"

"다음에는 너도 먹을 걸 남겨두고

나눠 먹어야 한다"

나눔의 기쁨과

가슴 속의 작은 아쉬움을

알아가는 고사리 손.

느티나무의 쇠 지팡이

구름 덮힌 하늘 이고

광주호 호숫가에

서 있는 느티나무 세 그루

다리 아파서

쇠 지팡이를 짚고 있다

와, 400살이 넘었단다

지팡이 없이는

쓰러질 것만 같은

땀을 뻘뻘 흘리며

서 있는 나무의 다리。

증손자 꽃과 할아버지

긴 꽃줄기 아래
아가의 작은 손을 펼친 호야
베란다 창문 너머
단풍잎을 바라보며 웃는다

사 계절 푸른 이파리 사이
한 꽃대에서 세 번이나 피어난
연분홍 증손자 꽃

작은 꽃송이들 아롱아롱
가을 햇살에 짙어가며 빛나고

호야꽃 보려고
발자국을 가까이 다가와
한 송이 꽃이 된 할아버지.

무지개 운동화

생일날

엄마와 함께 시장 가서

골라 신은 키작은 운동화

돌부리에 부딪혀

엄지발톱이 파랗게 멍들고

빠지면서 새 발톱이 밀고 나온다

하얀 가재나 반창고로

꽁꽁 싸맨 엄지발가락

점점 커진 발가락

포옥 운동화 속에 들여놓고

유치원 갈 때마다 신고 간다.

달밤의 체조

높이 든 작은 두 손
철봉을 꼭 쥐었다

한 손 한 손 번갈아 가며
긴 철봉대를 따라
쉼터 의자로 향하는 건너 뛰기

손바닥이 미끄럽고 후끈 거려도
조금만 더, 조금 더!
분수처럼 솟아 오르는
힘찬 응원 소리에

하나, 둘, 셋

솟구치는 기쁨 속에

혼자서 이룬

놀라운 성공.

포크레인

폭설이 내려 쌓인 눈이
도로 가장자리를 점령해
몹시 미끄럽다

포크레인 아저씨
모자도 장갑도 착용하지 않은 채
거대한 손을 움직여
얼음을 깨고 부수며
빨리 녹으라고 길바닥에 펼친다

두드득, 드륵드륵,
도로를 가득 채우는 얼음 깨는 소리
추위 따위 아랑곳하지 않는 듯
이빨을 드러내고 웃으며
그 큰 손에 힘을 준다.

개미의 행진

낡은 아파트 부엌 천장,

개미들이 줄지어 지나간다

대장의 지휘아래

일렬로 길게 길게

바닥으로 떨어질 듯

물구나무 선 개미들

전봇대처럼 긴 과자를

어깨에 짊어지고

영차 영차, 집을 향해

나란히 발을 맞춘다.

첫날, 학교의 문턱

기다란 키다리 그림자
책가방 메고 학교로 향한다

"어서 와! 학교는 처음이지?"
드넓은 운동장 안에 세워진 푯말이
환영 인사를 건네자

이 빠진 앞니 드러내며
활짝 웃는 얼굴로
맞이한다

하루하루를 손꼽아 기다리며
호기심 가득히 안고
마침내 시작된 초등학교 첫날.

감자 꽃이 피었다

마을 텃밭 짙은 초록잎 사이로

하얀 꽃잎 내밀고

비를 맞고 서 있는 감자꽃

동네 사람들 우산 속에서

땅속에 숨어있는 동글동글한

감자 이야기

'와~감자꽃 봐라

감자 농사 잘됐네

감자가 주렁주렁 달렸겠다!'

빗소리 자장가에

그윽한 감자꽃 내음 풍기며

땅속에 꼭꼭 숨어

토실토실 살찌우는

감자 알맹이.

줌 공부방

컴퓨터 앞에 앉아

줌 창을 열고 공부해요

시를 쓰고 그림 올리자

마법사가 동화같은

풍경 그려놓아요

선생님 따라

영어, 우리말, 그림 그리기에

마음 모아 집중하면

그네 타듯 흔들거리지만

코스모스처럼 키가 쑥쑥

희망을 부풀리며

멀리 있어도 가까운 친구들과

한 걸음 두 걸음 오르고 있어요.

제 3 부. 보랏빛 웃음

갯벌 맛조개

갯벌 드러난 바닷가에서

맛조개를 잡아요

삽으로 뻘을 헤치며

고개 쏙 들어올린

기다란 맛조개를

손으로 잡아채요

'와~' 울려퍼지는 환호

미끄럼 타는 듯한

맛조개잡이

놀이터 보다 더 신나요。

산수유꽃 나들이

산수유 꽃이

노란 봄옷을 차려입고

놀러 오라 손짓한다

안개처럼 뿌옇게 퍼져 있는 미세먼지!

맑은 하늘 아래서

산수유 꽃 웃는 모습

가까이서 보고 싶었는데

'미세먼지 나쁨' 이라는 안전 문자에

나들이를 포기한 채

미세먼지 멀리 가라

툭, 쏘아 붙인다.

탑정호의 웃는 구름

할머니가 건네준 사진 속에
문학 기행 다녀 온
탑정호가 보인다

출렁출렁 춤을 추는 출렁다리
창작반 친구들과 모여
웃고 떠든 이야기들

호수에 빠진 구름사진 찍느라
이빨 빠진 것처럼
단체사진 속에 빠진 할머니
탑정호 출렁다리 위에서 웃고 있다.

수중 발레리나

물안경 쓴 아이가
코를 잡고 물속으로
풍덩 잠수한다

주춤주춤 한바퀴 물속에서 돌고
수중을 나온 아이

물 위에서 다시 숨을 들이쉬고
코 막고 잠수한다

첫 번째 도전, 물속에서 서툰 한 바퀴,
하지만 두 번째 잠수에선 자신감 넘쳐
세 번을 돌고, 한번 더,
물고기처럼 유연하게
팔다리 젓는다

풍덩!

작은 마음 굴하지 않고

모험하는 아이

멈추지 않는 손과 발

보글보글거리는 물방울 가르며

물결 위에 그림 그리듯

헤엄친다

아이의 얼굴에 피어난

도전 끝에 얻은 저 환희

놀랍고 신비로운 순간

아름답다.

체육대회

두편으로 갈라선 친구들

축구공이 넷트 위로 슈~웅

힘차게 찬 공이 높이 높이 난다

송홧가루도 공 따라 날아가고

친구들의 웃음소리도 따라가고

야호, 터지는 탄성 소리

날아오른 공 잡아 서브하며

달인의 별명 얻은 날

토끼풀이 바람소리와 합창할 때

친구들과 뛰고 달리며

하나된 임곡의 들판.

별빛 아래 두 이야기꾼

밤하늘에서
수년 만에 다시 만난 친구들

보름달이 지구 그림자에 숨을때
부끄러운 듯 빨갛게 물든 얼굴

서로에게 조금씩 가까워진
두 친구의 신비로운 우정

캄캄한 우주 속에서도
따스한 우정이 오가는 두 친구。

비바람 속의 고목

거센 비바람 속에서도
단단히 자리를 지키는
한 그루의 고목

칼바람의 상처가
가지마다 새겨져 있다

꿋꿋이 한 자리를 지키며
아름다운 벚꽃을 피워내

반쪽 다리로 기울어진 채
화사하고 멋진
벚꽃 대궐을 이루었다.

색종이 꽃다발

색종이 위에서

고사리 같은 손이

엄마 얼굴 떠올리며

접고 또 접는다

빨강 파랑 보라

무지개처럼 화려한 색들을

하나로 묶어

넥타이 모양의 리본

접힌 손잡이를 달아

한 손으로 들기 쉽게

엄마 생일날 정성으로 피어난

사랑스러운 색종이꽃。

장화 시계 추

폭폭, 발이 빠질 듯이
눈 쌓인 크리스마스 이브
신나서 눈 위에 누운 아이

두 발은 오무렸다 폈다
두 팔은 양옆으로 뻗어
위 아래로 힘차게 흔들며
체조를 한다

폭신한 눈밭 위,
빨간 장화가 시계추처럼
똑딱 똑딱
둥글게 둥글게 움직이며
눈 위에 하얀 조각품을 새긴다.

흑호두

나는

낙엽 이불 덮고

친구들 기다리고 있어요

아이들이 견학 올 때면

선생님의 손 위에서

귀한 대접을 받죠

"이것이 호두야!

껍질 벗기면 알맹이 들어 있어"

검고 둥글게 생긴 나는

그때가 제일 좋아요

나를 찾아주고 귀하게 여겨주는

친구들과 함께 놀 수 있으니까요

비가 올 때는

낙엽을 우산 삼아

꼭꼭 숨어 있어요

빗물에 젖어 망가지면

안 되니까요.

보랏빛 웃음

철 대문 앞,

고무통 화분에 자라난 포도줄기

탐스럽게 매달린 포도송이

시원한 그늘을 만들기 위해

하얀 종이모자 쓰고 있다

뜨거운 태양 아래

대문 앞에서 뛰노는 아이들

까르르 웃음소리와 함께

토실토실 보랏빛으로 익어간다.

소낙비와 우산

소낙비 내리자

복지관 밖

가로막 의자에 앉아

비 피한다

바로 앞에 세워진

휴지통에 쓰레기 가득한데

옆에 끈으로 꽁꽁 묶여 꽂아진

저 찢어진 우산

개어지지도 펴지지도 않은 채

우산살 뜯겨져 있다

그칠 줄 모르는 비에

휴지통에 꽂힌 우산

두 손 들고 벌 서듯 꼭 잡고

빗속에서 친구 된다.

호랑가시나무 언덕

비 내리는 언덕을 오르면

봄바람과 춤추는

호랑가시나무의 은은한

숨결이 흐른다

400년이 흐르고도

여전히 자라나

바람의 속삭임에 춤을 추며

새싹들이 손을 내민다

윤기나는 연초록 잎들은

마음을 설레게 만들고

해가 지나면

호랑이 발톱처럼 강하고

날카로워질 것 같아

새싹의 봄 노래는

호랑가시나무 언덕을 향해

끊임없이 울려 퍼진다。

제4부. 호야, 햇살 속으로

졸업식 정경

꽃다발 앞에 서서

무지갯빛 사탕꽃 양손에 쥐고

해맑게 웃는다

공연무대에서 백조 되어

까치발로 춤추고

태권 태권 우렁차게 외치며

시범경기 펼치고

아쉬운 마음을 피아노에 싣고서

잔디밭 넘어 가도록

하늘 하늘 소식 전하며

유치원 추억 흠뻑 담는다.

호야의 손

통통한 이파리에

윤기가 자르르

호야가 분홍빛 새싹으로 잎을 만든다

하얗고 푸릇푸릇

이파리 위에

두가지 색칠을 하며

새 옷을 입는다

세워준 막대기 위로

더듬더듬 손을 뻗고

기댈 곳을 찾으며

곱게곱게 화장을 한다.

소통방에서 핀 꽃

우리마을 소통방에서
꽃잔치를 했어요

이웃끼리 소통하며
친하게 지내라고
빛깔 고운 비누 꽃바구니를 만들었어요

파란 오아시스 위에
한 개 두 개 꽂아
서로서로 소통하는 마음을
꽃송이 마다 담았어요

연보라 장미꽃에서 뿜어내는
향긋한 비누 냄새에
소통방 친구들의 얼굴이 환해요.

병아리 한마리

학교 끝난 정문 앞

털옷을 입은 병아리들

상자 안에 가득 차 있다

친구도 한 마리 나도 한마리

삐약삐약!

밤새 쉬지 않고 동무 찾는 병아리

설레는 마음 담아 내가 사온 병아리

엄마도 어렸을 때

학교 앞에서 병아리를 샀단다.

최대장의 봉고차

우리 마을 최대장은 무척 힘이 세어요
마을의 큰 일을 돌보며
도서관, 소통방, 마을 텃밭
모두 모두 잘 되라고
힘차게 밀고 또 밀어요

최대장의 봉고차는 왼쪽 문이 고장이 나서
다른 사람은 열 수 없지요
옆구리도 쑤~웅 부어올라
병원에 가야한데요

그래도
마을에서 쓸 장대같이 기다란 스크린도 싣고
주민들을 위해 마음의 양식인 책도
한 보따리나 싣고

깜깜한 한밤중에

주민에게 주려고

파프리카도 꽃다발처럼 한 봉지씩 담아 싣고

무거운 컴퓨터도 실었어요

부릉 부릉~

멋지게 달리는

고장난 파란색 봉고차는

최대장을 닮았어요.

낙엽을 먹는 하마

'크르릉~'

청소차가 큰 소리를 내며

낙엽들을 먹는다

치워도 치워도 바람에 뒹굴며

넘쳐나는 도로변 낙엽들을

한 입으로 삼킨다

한 계절을 화려하게 수 놓은 붉은 단풍 낙엽

크르릉 크르릉 기합 소리를 내며

쉬지않고 싹싹 쓸어 담는다

가로수 밑에 수북히 쌓인

낙엽들이 헤엄을 치 듯

하마의 입으로 빠져들며

도로변은 어느새 산뜻한 아침。

밤하늘 돌고래

문화전당 밤 하늘 아래
대형 화면 속에서 헤엄치는
커다란 고래 한 마리

발레리나 누나의 우아한
학춤을 따라
꼬리 흔들며 신이났어요

"고래야, 나랑 놀자!" 하고 불러도
숨바꼭질처럼 숨어버리고

별빛이 반짝일 때마다
찾아보아도 숨어버리고

달님이 방긋 웃을 때

꼬리치며 화답하네요。

전봇대 베개

밭고랑 옆 전봇대는

나의 베개였어요

시골집 할아버지에게 댁에

놀러갔을 때,

할머니와 다투는 소리에 놀라서

초승달 비취는

밭고랑 옆 전봇대에 기대

잠이 들었어요

잠결에 툭~

깊은 밭고랑으로 떨어진 나를

소처럼 힘센 우리 할아버지

방그레 웃으며 안아주셨어요.

여름날의 뻥튀기 소풍

뻥튀기 트럭앞에서

현미쌀을 챙겨 든

어머니들이 줄을 선다

뻥! 뻥!

한낮의 더위만큼

부풀어 오른 튀밥

바가지 한가득 담아 나눠주고

수북이 담겨진 소쿠리에서

큰 비닐 봉지로 옮겨진 튀밥

뻥아저씨가 꼼꼼히 묶어준다

모락모락 하늘로 솟을

뜨거운 김이

부풀어오른 튀밥 속에 꼭꼭 숨었다.

호야, 햇살 속으로

물받침 속에서 막 뽑아올린 듯
튼튼한 뿌리
화분을 옮기다 빛을 보았어요

꽃 피고 진 자리에
줄기를 따라 오르던 호야가
짝꿍 화분의 물받침으로 발을
뻗었어요

살포시 앉아 햇빛과
술래잡기 놀이를 꿈꾸는
호야의 뿌리

나팔꽃 한 송이

어두운 밤, 넝쿨 사이로

고깔 모자 쓰고

꽃봉오리 내밀고 있다

여름 내내 보랏빛으로 피고 지고 나팔 불더니

추석날 둥근 보름달 바라보며

분홍 꽃 피웠다

보름달처럼 환하게

엄마의 얼굴을 그려낸

나팔꽃 한 송이.

새알심의 합창

성탄절날

엄마와 함께 만든

새알심

두 손을 펴고

둥글게 둥글게

한 알 한 알 함께 만들자

금세 쟁반에 한가득

호수에 빗방울 떨어지듯

팥물 위에서 뽀글뽀글

동그랗게 합창하듯 떠 오른다

한상에 둘러 앉은 가족들

새알심의 모양은 제각각이지만

맛은 모두에게 만점。

마술 종이가방

선생님이 손 넣어

줄 당길 때마다

빈 종이 가방에서 피어나는 기적

하나, 둘, 셋,

선물 상자들이

비어 있었던 공간 채우고

반짝이며 나타난다

"우와!"

아이들의 놀란 눈빛

그 비밀,

어디에 숨어 있었을까

궁금해하는 표정들

보이지 않던 재능과 꿈들을

마법처럼 꺼내어

종이 가방 속 깊이 숨겨진 보물처럼

드넓은 세상에서

환히 빛나게 하자.

잠자리 그늘

커다란 두 날개 폈다

눈도 있고

다리도 있고

날개는 바람에 팔랑팔랑

뜨거운 해빛 가리고 그늘 만들어

횡단보도 신호등 기다리는 사람들

시원한 그늘로 부른다

전등불 깜박이며

시간별 날씨와

온도와 미세먼지 알려준다

건너편에 있는 친구와 나란히 마주보고

뜨거운 여름 햇살 피해

그늘 속으로 오란다。

제 5 부. 사슴뿔 나무

버스 정류소 은방석

눈보라 휘날려도
버스 기다리는 시간은 따스해요

정류장에 길고 반짝이는
보일러 의자가 있으니까요
버스가 조금 늦어도
미소가 절로 지어져요

건너편 정류장에도
파란 비닐로 감싼
은빛 의자가 있어요

땅속에 깊이 뿌리를 내리고

추운 겨울에도

사람들에게 따스함을 전해 주려고

까치발로 서 있어요.

나팔꽃씨

이른 아침 활짝 웃어주고
햇빛에 시들어 고개 숙인 나팔꽃
빵빵한 씨방을 만들었다

노랗게 익은 주머니 속에
까만 열매 가득 채워
심었던 씨앗 다시 내어주고

내년에 심어 보라며
친구에게 보낼 씨앗들
유리병 속에 차곡차곡 쌓인다.

나목의 변신

공원 도로 길섶
전봇대처럼 우뚝 서 있는
아름드리 나무 한 그루

바닥에서부터
가지가 뻗어 있는 곳까지
둘둘 황토색 옷 입었다

흰 눈이 쌓이는
겨울 추위 이기고
풀벌레들 품어 주기 위해
찬바람이 흔들어도
우뚝 서 있다.

00
5
10
15
20
25
30
35
40
45
50
55
12
1
2
3
4
5
6
7
8
9
10
11

아빠의 사랑 시계

동그랗게 만든 종이들 위에
적힌 숫자들

시계 읽는 법을 배우며
아빠가 만들어 준 솜씨

퇴근하는 문 열리는 소리에
놀잇감도 잊고 뛰어가

짹깍짹깍
분 시계 소리에 맞춰
엉덩이를 흔드는 아들

사랑이
탁구공처럼 통통 튀어다닌다.

바닷속 바위

육지로 오고 싶었어요

하늘도 바라보고

햇빛을 쬐어 보는 것이 꿈이었어요

바다 깊은 곳에서

그런 생각을 한다는 것은 말이되지 않았지요

태풍이 부는 날

'힌남노'가 바닷물에 둥둥 띄우고

나를 끌어 당겨

땅 위로 옮겨 주었어요

자나깨나 품고 있던 마음의 소원

포기하지 않았더니

밤하늘에 뜨는 별도 보고

둥근 달도 보아요.

바람인형 아저씨

공사하고 있는 도로의 횡단보도
신호등 아래 서서
교통정리 하고 있다

긴 막대 손을 들고
횡단보도 쪽 가리키며
슝슝 부는 바람 따라
막대봉을 위로 아래로

지하철도 공사장 횡단보도에서
휘익 휘익 호르라기 불며
교통 정리하는 아저씨처럼

파란불 신호등 켜지자

긴 막대 손 올리며

잘 가라 인사 건넨다.

보리의 수염

정원 텃밭에 서 있는 푸른 보리!
봄 바람에 하늘하늘 춤춘다

햇볕도 쪼이고
비가 오면 신바람나 쑥쑥 크더니
어느새 수염을 달았다

얼어붙은 땅속에서 한겨울을 이겨내고
우리마을 정원의 작은 텃밭 지키는
청 보리 파수꾼.

할머니의 놀이터

아파트 쉼터 공간에

할머니의 솜씨 자랑

그림처럼 펼쳐있어요

반달모양 호박과 길죽한 토란대

감자대, 콩줄기, 빨간고추 등

가을 햇볕에 말리고 있어요

'이곳에서 곡물을 말리지 마세요'

세워졌던 푯말이 없어져 편한지

날마다 내다 펴고

거둬 들이고

평상에 앉아 흐뭇한 미소로 바라보아요.

코스모스

드넓은 들판에 나가

연날리기 하던 날

코스모스

바람에 살랑거렸어요

가늘고 긴 줄기로

하늘 쳐다보며

"우리 중 누가 제일 예뻐?"

속삭였어요

파란 하늘 아래

가을 향기 가득한

푸른 꼬리 흔들며

팔랑팔랑 헤엄치던 연

방긋 웃는 코스모스도

하늘 높이 날고파

키 높은 신발 신고

꿈을 향해 달렸어요.

신문의 변화

마술사가 신문을 펼쳐 손에 들고

찢어 버리자 산산이 조각 난

신문 한 장

잠시 후,

조각난 신문이

다시 빳빳한 한 장의 신문으로 펼쳐진다

와,

가까이 봐도 알 수 없는

비밀의 변화

마술사의 손놀림은

정말 신기하기만 하다

조각난 것들이

다시 하나로 모이는 건

새로운 시작과 희망의 상징

찢어진 신문이 다시

원상태로 회복되듯이

우리들도 잘될 수 있다고

일러 주신다.

알람시계

엄마 학교 갈 때
꿈나라에서 일으켜 세워 줬다는
색바랜 거북이 탁상시계

잠잘 때
단추 하나 눌러 두고 자면
나도 깨워 줘요

언제나
화장대에 올라앉아
장식품인 양 서서

"푸루륵 뿍, 푸루륵 뿍
토끼가 쫓아 오잖아!"

엄마의 추억 담고

아침마다

일어나라 노래 불러요

햇님이 그려주는 동그라미

시상식 있는 날,

친구들 앞에 나가

노래 부른다

긴장된 마음 빙글빙글

마이크 잡고 용기 내어

잠시 반주기계가 삑 소리를 내자

노래가 숨어 버렸지만

목소리 더 키우며

랄라라 랄라라

따스한 박수 소리

장기자랑 뽐내는 무대 위에서

첫 도전

햇님이 벙글벙글

동그라미 세 개나

그려 준다.

호박

'후두둑 후두둑'

소낙비 내리는 날

텃밭 밑에 숨어있는 호박이

푸른 얼굴 내밀고

세수를 해요

잎사귀도 풍성하게

푸른색도 짙게 만들어

햇님에게 예쁘게 보이려고

단장을 해요.

사슴뿔 나무

나의 두 팔로 감아도 다 감아지지 않은

우람한 나무!

잔가지들이 잘려 나간 채로

하늘 향해 두 팔을 뻗었다

사슴뿔 같은 나무의 가지!

옆에 나무는

잎은 없어도 잔가지로 화려한데

잎도 잔가지도 없이

휑하니 벌거벗은 채로

첫눈을 맞으며 서 있는 나무

따스한 햇살 아래

작은 새싹을 틔우며

초록의 봄을 풀어내고 있다。